Moewig

Weisheiten zum
Jubiläum

Moewig

Verlagsunion Erich Pabel-Arthur Moewig KG, Rastatt

Originalausgabe
© 1991 by Verlagsunion Erich Pabel-Arthur Moewig KG, Rastatt
Alle Rechte vorbehalten
Umschlagentwurf und -gestaltung: Werbeagentur Zeuner, Ettlingen
Auslieferung in Österreich:
Pressegroßvertrieb Salzburg Gesellschaft m. b. H.,
Niederalm 300, A-5081 Anif
Printed in Germany 1991
Druck und Bindung: Elsnerdruck, Berlin
ISBN 3-8118-7227-3 (60er-Kassette)

Auch eine Reise von tausend Meilen
fängt mit dem ersten Schritt an.

AUS CHINA

Ruh' ist Göttern nur gegeben,
ihnen ziemt der Überfluß.
Doch für uns ist Handeln Leben.
NOVALIS

SCHWERER ANFANG IST ZUMEIST
ZEHNMAL HEILSAMER
ALS LEICHTER ANFANG.
SIGMUND GRAFF

Die Natur gibt einem Menschen
die Fähigkeiten,
und das Glück bringt sie zur Wirkung.
LA ROCHEFOUCAULD

Talent ist spezifische,
Genie allgemeine Befähigung.
GEORG WILHELM FRIEDRICH HEGEL

Der kürzeste Weg zum Ruhm ist
- gut zu werden.
HERAKLIT

Wo die Natur nicht will,
da ist die Arbeit umsonst.
LUCIUS ANNAEUS SENECA

Der Mensch lebt weit unter seinen Fähigkeiten. Er verfügt über Kräfte verschiedenster Art, die er in den meisten Fällen gar nicht mobilisiert.

DALE CARNEGIE

Der Wetzstein schneidet nicht, doch macht er scharf das Messer. Durch einen schlechten Mann wird oft ein guter besser.

FRIEDRICH RÜCKERT

Der alte Satz: Aller Anfang ist schwer, gilt nur für Fertigkeiten. In der Kunst ist nichts schwerer als beenden.

MARIE VON EBNER-ESCHENBACH

Die meisten unserer Fehler erkennen und legen wir erst dann ab, wenn wir sie an anderen entdeckt haben.

KARL GUTZKOW

Phantasie ist wichtiger als Wissen.

ALBERT EINSTEIN

**MAN IST IN DEM MAẞE
ZUR FREIHEIT REIF,
ALS MAN ZUR SELBSTKRITIK FÄHIG IST.**
MARTIN KESSEL

Der Ursprung aller Dinge ist klein.
MARCUS TULLIUS CICERO

**Einen wirklich großen Mann
erkennt man an drei Dingen:
Großzügigkeit im Entwurf,
Menschlichkeit in der Ausführung
und Mäßigkeit beim Erfolg.**
OTTO VON BISMARCK

**Die meisten Menschen
wenden mehr Zeit und Kraft daran,
um die Probleme herumzureden,
als sie anzupacken.**
HENRY FORD

Ehe man etwas brennend begehrt,
soll man das Glück dessen prüfen,
der es besitzt.
LA ROCHEFOUCAULD

Es ist merkwürdig,
daß ein mittelmäßiger Mensch
oft vollkommen recht haben kann
und doch nichts damit durchsetzt.

CHRISTIAN MORGENSTERN

Wer steilen Berg erklimmt,
hebt an mit ruhigem Schritt.

WILLIAM SHAKESPEARE

Wer die Welt vernünftig ansieht,
den sieht auch sie vernünftig an.

GEORG WILHELM FRIEDRICH HEGEL

Zufall ist ein Wort ohne Sinn;
nichts kann ohne Ursachen existieren.

VOLTAIRE

Wer sein Herz dem Ehrgeiz öffnet,
verschließt es der Ruhe.

AUS CHINA

JEDES DING HAT SEINE ZEIT.

WILLIAM SHAKESPEARE

Die großen Taten der Menschen
sind nicht die, welche lärmen.
Das Große geschieht so schlicht
wie das Rieseln des Wassers,
das Fließen der Luft,
das Wachsen des Getreides.

ADALBERT STIFTER

Es gibt keine Handlung,
für die niemand verantwortlich wäre.

OTTO VON BISMARCK

Es ist besser,
ein kleines Licht zu entzünden,
als über große Dunkelheit zu fluchen.

KONFUZIUS

Eine ungeschickte Schmeichelei
kann uns tiefer demütigen
als ein wohlbegründeter Tadel.

MARIE VON EBNER-ESCHENBACH

Klug fragen können, ist die halbe Weisheit.

FRANCIS BACON

◆

Man kann alle Leute
eine Zeitlang an der Nase herumführen,
und einige Leute die ganze Zeit,
aber nicht alle Leute alle Zeit.
ABRAHAM LINCOLN

Wer sich auf die Zehen stellt,
steht nicht fest.
LAOTSE

Das Genie hat kein Geschlecht.
MADAME DE STAËL

Die Gewohnheit ist ein Tyrann.
HORAZ

Der Optimist erklärt,
daß wir in der besten
aller möglichen Welten leben,
und der Pessimist fürchtet,
daß dies wahr ist.
JAMES BRANCH CABELL

Ein vernünftiges Auto soll
seinen Besitzer überallhin transportieren
außer auf den Jahrmarkt der Eitelkeiten.
HENRY FORD

Wer wirklich Autorität hat,
wird sich nicht scheuen,
Fehler zuzugeben.

BERTRAND RUSSELL

Eines Tages werden Maschinen
vielleicht nicht nur rechnen,
sondern auch denken.
Mit Sicherheit aber
werden sie niemals Phantasie haben.

THEODOR HEUSS

Wer sich zuviel mit Kleinigkeiten befaßt,
wird unfähig zum Großen.

LA ROCHEFOUCAULD

Nur die Lumpe sind bescheiden,
Brave freuen sich der Tat.

JOHANN WOLFGANG VON GOETHE

Geh mit den Hühnern schlafen,
und steh mit den Hähnen auf.

AUS SPANIEN

Das Außerordentliche geschieht
nicht auf glattem, gewöhnlichem Wege.

JOHANN WOLFGANG VON GOETHE

**Aus den Wolken muß es fallen,
aus der Götter Schoß, das Glück,
und der mächtigste von allen
ist der Augenblick.**

FRIEDRICH SCHILLER

*Wer ausgelernt sein will,
der muß im Grabe liegen.*

CHRISTOPH LEHMANN

UNMÖGLICH IST EIN WORT,
DAS ICH NIE AUSSPRECHE.

JEAN FRANÇOIS COLLIN D'HARLEVILLE

Sei Erster.
Der zweite Platz ist für Versager.

JOSEPH P. KENNEDY

Trifft dich des Schicksals Schlag,
so mach es wie der Ball:
Je stärker man ihn schlägt,
je höher fliegt er all.

FRIEDRICH RÜCKERT

Mißerfolg ist eine Chance,
es beim nächsten Mal besser zu machen.

HENRY FORD

Nichts hat im modernen Leben
eine solche Wirkung
wie eine gute Banalität.

OSCAR WILDE

Den Fortschritt erkennt man daran,
daß die Flüge immer kürzer werden,
die Autofahrten zum Flughafen
immer länger.

ALBERTO SORDI

Der Irrtum ist die tiefste Form
der Erfahrung.

MARTIN KESSEL

Erfolg hat nur, wer etwas tut,
während er auf den Erfolg wartet.

THOMAS ALVA EDISON

Dein Erfolg enthält immer etwas,
das selbst deinen besten Freunden mißfällt.

OSCAR WILDE

Menschen, die Einfluß
auf andere ausüben wollen,
müssen dafür sorgen,
daß sie nicht zu oft zu sehen sind.

RICARDA HUCH

CHARAKTERLOSIGKEIT IST EIN MYTHOS,
DEN BIEDERE INDIVIDUEN
GESCHAFFEN HABEN,
UM DAMIT DIE FASZINATIONSKRAFT
ANDERER LEUTE ERKLÄREN ZU KÖNNEN.

OSCAR WILDE

Wie groß die Schar der Bewunderer,
so groß ist die der Neider.

LUCIUS ANNAEUS SENECA

Die Welt hat so viele Mittelpunkte,
als es Menschen gibt.

GERHARD SZCESNY

Ich habe stets beobachtet,
daß man, um Erfolg in der Welt zu haben,
närrisch scheinen und weise sein muß.

MONTESQUIEU

Einen Augenblick gestanden,
bringt viel Gewinn abhanden.

SPRICHWORT

*Man hat einen zu guten
oder einen zu schlechten Ruf;
nur den Ruf hat man nicht,
den man verdient.*

MARIE VON EBNER-ESCHENBACH

*Die großen Seelen sind
wie hohe Berggipfel.
Der Wind peitscht sie,
die Wolken hüllen sie ein,
aber man atmet leichter und kräftiger
auf ihnen als anderswo.*

ROMAIN ROLLAND

**Ein Mann, der recht zu wirken denkt,
muß auf das beste Werkzeug halten.**

JOHANN WOLFGANG VON GOETHE

**Bei jeder Sprosse,
die man erklimmt,
schwankt die Leiter mehr.**

HELLMUT WALTERS

EIN AUGENBLICK DES GLÜCKES
WIEGT JAHRTAUSENDE
DES NACHRUHMS AUF.
FRIEDRICH DER GROSSE

Das Überraschende macht Glück.
FRIEDRICH SCHILLER

Courage ist gut, aber Ausdauer ist besser.
THEODOR FONTANE

Nicht in die ferne Zeit verliere dich!
Den Augenblick ergreife! Der ist dein.
FRIEDRICH SCHILLER

Arbeit ist eine Sucht,
die wie eine Notwendigkeit aussieht.
PETER ALTENBERG

*Versuch's und übertreib's einmal,
gleich ist die Welt von dir entzückt!
Das Grenzenlose heißt genial,
wär's auch nur grenzenlos verrückt.*
PAUL HEYSE

Die Tat ist alles, nichts der Ruhm.
JOHANN WOLFGANG VON GOETHE

**Unsere Fehler bleiben uns immer treu,
unsere guten Eigenschaften
machen alle Augenblicke
kleine Seitensprünge.**

FRANÇOISE SAGAN

**Den guten Steuermann
lernt man erst im Sturme kennen.**

LUCIUS ANNAEUS SENECA

*Die einfachsten Wahrheiten sind es,
auf die der Mensch immer
erst am spätesten kommt.*

LUDWIG FEUERBACH

WER JEDE ENTSCHEIDUNG
ZU SCHWERNIMMT,
KOMMT ZU KEINER.

HAROLD MACMILLAN

Siege, aber triumphiere nicht.

MARIE VON EBNER-ESCHENBACH

Nichts ist überzeugender als der Erfolg.

LEOPOLD VON RANKE

Viele Leute glauben,
wenn sie einen Fehler eingestanden haben,
brauchen sie ihn nicht mehr abzulegen.

MARIE VON EBNER-ESCHENBACH

Wer niemals außer sich geriet,
wird niemals in sich gehen.

PAUL HEYSE

Wir unterscheiden uns weniger
durch die Kräfte, die wir haben,
als durch den Mut,
von ihnen Gebrauch zu machen.

HANS KUDSZUZ

Alle anderen Dinge müssen;
der Mensch ist das Wesen,
welches will.

FRIEDRICH SCHILLER

Neue Leute dürfen nicht Bäume ausreißen,
nur um zu sehen,
ob nicht Wurzeln dran sind.

HENRY KISSINGER

Die Herrschaft über den Augenblick
ist die Herrschaft über das Leben.
MARIE VON EBNER-ESCHENBACH

Der Nachruhm ist die
wahre Unsterblichkeit der Seele.
NAPOLEON I.

Eines Menschen Vergangenheit ist das,
was er ist. Sie ist der einzige Maßstab,
an dem er gemessen werden kann.
OSCAR WILDE

WENN MAN EINMAL IM LEBEN
MIT DEM ZWEITBESTEN VORLIEBNIMMT,
DANN ERREICHT MAN IMMER WIEDER
NUR DAS ZWEITBESTE.
JOHN F. KENNEDY

Ein Starker weiß
mit seiner Kraft hauszuhalten.
Nur der Schwache will
über seine Kraft hinaus wirken.
GEORG CHRISTOPH LICHTENBERG

Genius ist ewige Geduld.
MICHELANGELO BUONARROTI

Im Mut liegt der Erfolg.
THEODOR FONTANE

**Berufserfolg und Lebenserfolg
sind nicht an einen
bestimmten Lebensstandard
und nicht an einen bestimmten Anteil an
der Macht in der Gesellschaft gebunden.**
WALTER BÖCKMANN

*Niemand weiß, wie weit seine Kräfte gehen,
bis er sie versucht hat.*
JOHANN WOLFGANG VON GOETHE

*Eiserne Ausdauer und klaglose Entsagung
sind die äußersten Pole
der menschlichen Kraft.*
MARIE VON EBNER-ESCHENBACH

**Sechs Stunden sind genug für die Arbeit.
Die anderen sagen zum Menschen: Lebe!**
LUKIAN VON SAMOSATA

Ausdauer ist eine Tochter der Kraft,
Hartnäckigkeit eine Tochter der Schwäche,
nämlich der Verstandesschwäche.

MARIE VON EBNER-ESCHENBACH

DAS GENIE ENTDECKT DIE FRAGE,
DAS TALENT BEANTWORTET SIE.

KARL HEINRICH WAGGERL

Der Charakter ist das
Schicksal des Menschen.

HERAKLIT

Jeder Mensch, der sich für etwas engagiert,
hat eine bessere Lebensqualität als andere,
die nur so dahinvegetieren.

BRUNO KREISKY

Der Weg zum Reichtum
liegt hauptsächlich in zwei Wörtern:
Arbeit und Sparsamkeit.

BENJAMIN FRANKLIN

Der Aufschub ist der Dieb der Zeit.

EDWARD YOUNG

Die größte Niedertracht des Menschen
ist sein Streben nach Ruhm,
aber gerade dieses ist auch das Zeichen,
daß er etwas Höheres ist.

BLAISE PASCAL

So manches, was jemand tut,
ist bereits in den Augen anderer ein Erfolg,
und so vieles,
was einen wirklichen Erfolg darstellt,
wird von anderen
nicht einmal wahrgenommen.

WALTER BÖCKMANN

Was können wir denn unser Eigenes nennen
als die Energie, die Kraft, das Wollen!

JOHANN WOLFGANG VON GOETHE

Der fröhlich heitere Sieger
ist der schönste Sieger.

ANASTASIUS GRÜN

DAS TALENT STELLT NUR TEILE DAR,
DAS GENIE DAS GANZE DES LEBENS.

JEAN PAUL

Verliert der eine nicht,
kann der andere nicht gewinnen.

AUS FINNLAND

Man sollte den Menschen
nicht nach seinen Vorzügen beurteilen,
sondern nach dem Gebrauch,
den er davon macht.

LA ROCHEFOUCAULD

Ein wirklich großes Talent
ist nicht irrezuleiten
und nicht zu verderben.

JOHANN WOLFGANG VON GOETHE

Der Ausgang rechtfertigt das Vollbrachte.

OVID

Verstand ist mechanischer,
Witz ist chemischer,
Genie ist organischer Geist.

FRIEDRICH SCHLEGEL

Jeder muß den Mut
der Überzeugung haben.

ALEXANDER VON HUMBOLDT

**Dem Gewissenhaften
ist das Amt mehr Bürde als Würde.**

TALMUD

*Eilen hilft nicht;
zur rechten Zeit fortgehen,
das ist die Hauptsache.*

JEAN DE LA FONTAINE

UNTER DEN MENSCHEN
GIBT ES VIEL MEHR KOPIEN
ALS ORIGINALE.

PABLO PICASSO

Fakten sind wie Schuhe:
Wem sie nicht passen,
der zieht sie nicht an.

KARL GARBE

Alle Menschen schieben auf
und bereuen den Aufschub.

GEORG CHRISTOPH LICHTENBERG

Ruhm und Ruhe sind Dinge,
die nicht zusammen wohnen können.

GEORG CHRISTOPH LICHTENBERG

Besessenheit ist der Motor,
Verbissenheit die Bremse.

RUDOLF G. NUREJEW

Wer einen Fehler gemacht hat
und ihn nicht korrigiert,
begeht einen zweiten.

KONFUZIUS

Es wächst der Mensch
mit seinen größern Zwecken.

FRIEDRICH SCHILLER

Der Erfolg gebiert den Erfolg
wie das Geld das Geld.

CHAMFORT

Füge dich der Zeit,
erfülle deinen Platz
und räum ihn auch getrost:
Es fehlt nicht an Ersatz!

FRIEDRICH RÜCKERT

Auch eine Reihe von tausend Meilen
fängt mit dem ersten Schritt an.

AUS CHINA

Erkennen heißt:
Alle Dinge zu unserem Besten verstehen.
FRIEDRICH NIETZSCHE

Wer sich zu wichtig für kleinere Arbeiten hält, ist meistens zu klein für wichtige Aufgaben.

JACQUES TATI

Arbeit ist schwer,
ist oft genug ein freudloses
und mühseliges Stochern,
aber nicht arbeiten – das ist die Hölle.

THOMAS MANN

WER ZU FRÜH ERFOLG HAT, FÄNGT AN,
SICH SELBER ZU KOPIEREN.

FRIEDENSREICH HUNDERTWASSER

Unsere Weisheit
ist das Resultat unserer Erfahrungen,
und unsere Erfahrungen
sind das Resultat unserer Dummheit.

SACHA GUITRY

Wer seine Talente als Gaben betrachtet
und nicht als Pflicht, ist ihrer nicht wert.

CURT GOETZ

Glück ist Talent für das Schicksal.

NOVALIS

Es gibt keine Pflicht,
die nicht der Heiterkeit bedürfte,
um recht erfüllt zu werden.

JOHN MILTON

Ehrgeiz ist Sehnsucht,
die nicht vom Herzen,
sondern vom Kopf herkommt.

ANITA DANIEL

Im Leben ist es besser,
zu wollen, was man nicht hat,
als zu haben, was man nicht will.

JONATHAN SWIFT

Begehren von Amt und Vorrecht
ist Ehrgeiz.

THOMAS HOBBES

Wer in der Öffentlichkeit Kegel schiebt,
muß sich nachzählen lassen,
wieviel er getroffen hat.

KURT TUCHOLSKY

Der Ausgang gibt den Taten ihren Titel.

JOHANN WOLFGANG VON GOETHE

**Der Verstand und die Fähigkeit,
ihn zu gebrauchen,
sind zwei verschiedene Gaben.**

FRANZ GRILLPARZER

*Faulheit ist die Angewohnheit,
sich auszuruhen, bevor man müde wird.*

JULES RENARD

DIE KRITIK GLEICHT EINER BÜRSTE.
BEI ALLZU LEICHTEN STOFFEN DARF MAN
SIE NICHT VERWENDEN, DENN SONST
BLIEBE NICHTS MEHR ÜBRIG.

HONORÉ DE BALZAC

Erfolg macht nicht nur müde,
er langweilt auch.

EPHRAIM KISHON

Ich habe im Leben Erfolg gehabt.
Jetzt versuche ich,
das Leben zum Erfolg zu machen.

BRIGITTE BARDOT

Nichts ist so elend als der Mann,
der alles will und der nichts kann.

MATTHIAS CLAUDIUS

Erfolg ist das, was man auf sich lenkt;
Mißerfolg das, was andere
einem zulenken.

EMIL BASCHNONGA

Es muß verschiedene Rangstufen geben,
da alle Menschen herrschen wollen
und nicht alle es können.

BLAISE PASCAL

*Die Menschen sind in ihren Anlagen
alle gleich,
nur die Verhältnisse machen
den Unterschied.*

GEORG CHRISTOPH LICHTENBERG

**Du willst bei Fachgenossen gelten?
Das ist verlorene Liebesmüh.
Was dir mißglückt, verzeihn sie selten,
was dir gelingt, verzeihn sie nie!**

OSKAR BLUMENTHAL

Faulheit ist die Furcht vor bestehender Arbeit.

MARCUS TULLIUS CICERO

WIE LÄCHERLICH
IST DER UNTERSCHIED
ZWISCHEN MANN UND FRAU:
VON 48 CHROMOSOMEN
UNTERSCHEIDET SICH NUR EINES.
GERMAINE GREER

Die Einsicht
in das Mögliche und Unmögliche ist es,
die den Helden vom Abenteurer
unterscheidet.
THEODOR MOMMSEN

Der Mensch ist ein Seil,
geknüpft zwischen Tier und Übermensch
– ein Seil über einem Abgrunde.
FRIEDRICH NIETZSCHE

Das ist klarste Kritik von der Welt,
wenn neben das, was ihm mißfällt,
einer was Eigenes, Besseres stellt.
EMANUEL GEIBEL

Erfolgreich sein, heißt für mich,
zehn Honigmelonen zu haben
und es mir leisten zu können,
von jeder nur die obere Hälfte zu essen.
BARBRA STREISAND

**Das ganze Glück des Menschen
besteht darin,
bei anderen Achtung zu genießen.**

BLAISE PASCAL

**Die Mehrzahl der Menschen ist so:
Macht man ihnen bescheiden Platz,
so werden sie unverschämt.
Versetzt man ihnen aber Ellenbogenstöße
und tritt ihnen auf die Füße,
so ziehen sie den Hut.**

JOHANN NEPOMUK NESTROY

*Zwischen Wissen und Schaffen
liegt eine ungeheure Kluft,
über die sich oft erst
nach harten Kämpfen
eine vermittelnde Brücke aufbaut.*

ROBERT SCHUMANN

INTELLIGENTE FEHLER ZU MACHEN,
IST EINE GROSSE KUNST.

FEDERICO FELLINI

Du mußt klein sein,
willst du kleinen Menschen gefallen.

LUDWIG BÖRNE

Macht ist Pflicht,
Freiheit ist Verantwortlichkeit.

MARIE VON EBNER-ESCHENBACH

Wir würden uns oft
unserer schönsten Taten schämen,
wenn die Welt alle Beweggründe sähe,
aus denen sie hervorgehen.

LA ROCHEFOUCAULD

Wer als Meister ward geboren,
der hat unter Meistern
den schlimmsten Stand.

RICHARD WAGNER

*Zwischen Gelingen und Mißlingen,
in Streit, Anstrengung und Sieg
bildet sich der Charakter.*

LEOPOLD VON RANKE

*Je planmäßiger die Menschen vorgehen,
desto wirksamer trifft sie der Zufall.*

FRIEDRICH DÜRRENMATT

Mir ist die gefährliche Freiheit lieber als eine ruhige Knechtschaft.

JEAN-JACQUES ROUSSEAU

Wir lernen vor allem dadurch, daß wir uns die Finger verbrennen, welche Erscheinung wir beschönigend Erfahrung nennen.

GEORG MACCARTHY

DIE JETZIGEN MENSCHEN SIND ZUM TADELN GEBOREN. VOM GANZEN ACHILLES SEHEN SIE NUR DIE FERSE.

MARIE VON EBNER-ESCHENBACH

Jeder Mensch hat Zeiten, wo ihm alles gelingt, aber das braucht niemand zu erschrecken – es geht schnell vorüber.

JULES RENARD

Wer in die Öffentlichkeit tritt, hat keine Nachsicht zu erwarten und keine zu fordern.

MARIE VON EBNER-ESCHENBACH

**Auch der Dumme
hat manchmal einen gescheiten Gedanken.
Er merkt es nur nicht.**

DANNY KAYE

**Die Neger am Senegal
versichern steif und fest,
die Affen seien Menschen ganz wie wir,
jedoch klüger, indem sie sich
des Sprechens enthalten, um nicht
als Menschen anerkannt
und zum Arbeiten gezwungen zu werden.**

HEINRICH HEINE

*Erfolge sind immer erst
nachträglich selbstverständlich.*

GÜNTER PRINZ

*Den Tadel der Menschen
nahm ich so lange gern an,
bis ich einmal darauf achtete,
wen sie loben.*

WALTHER RATHENAU

Der Preis der Größe heißt Verantwortung.

WINSTON CHURCHILL

**Ließe der Mensch sich genügen,
so hätte er Ruhe.**

JAKOB BÖHME

*Alles, was uns imponieren soll,
muß Charakter haben.*

JOHANN WOLFGANG VON GOETHE

EINEN NAMEN HAT MAN,
WENN MAN KEINEN WERT MEHR
AUF SEINE TITEL LEGT.

SIGMUND GRAFF

Die Großen schaffen das Große,
die Guten das Dauernde.

MARIE VON EBNER-ESCHENBACH

Niemand spricht in unserer Anwesenheit
so von uns wie in unserer Abwesenheit.

BLAISE PASCAL

Wie groß die Schar der Bewunderer,
so groß ist die der Neider.

LUCIUS ANNAEUS SENECA

Um fremden Wert willig und frei
anzuerkennen und gelten zu lassen,
muß man eigenen haben.

WILLIAM SHAKESPEARE

Alle großen Männer sind bescheiden.

GOTTHOLD EPHRAIM LESSING

Ein hohes Kleinod ist der gute Name.

FRIEDRICH SCHILLER

**Der Beste wird immer ein Bester sein,
auch wenn sich die Zeiten erneuern,
und nur wer selber kein echter Stein,
hat die Feuerprobe zu scheuen.**

BÖRRIES VON MÜNCHHAUSEN

*Zwecklose Arbeitsamkeit
ist nicht weniger töricht als zügelloser Genuß.*

JOHANNES VON MÜLLER

EIN KLUGER MANN
MACHT NICHT ALLE FEHLER SELBER.
ER GIBT AUCH ANDEREN EINE CHANCE.

WINSTON CHURCHILL

Am Anfang stehn wir vor Kalendern
und wollen bessern, steigen, ändern.
Am Ende ist's oft wunderbar,
wenn's wenigstens nichts Schlechtes war.

Der Hauptfehler des Menschen bleibt,
daß er so viele kleine hat.

JEAN PAUL

Die Weisen sagen: Beurteile niemand,
bis du an seiner Stelle gestanden hast.

JOHANN WOLFGANG VON GOETHE

Hätten wir keine Fehler,
so fänden wir nicht
so viel Vergnügen daran,
bei anderen welche aufzuspüren.

LA ROCHEFOUCAULD

*Für seine Handlungen
sich allein verantwortlich fühlen
und allein ihre Folgen,
auch die schwersten, tragen,
das macht die Persönlichkeit aus.*

RICARDA HUCH

*Wer den Ruf des Frühaufstehers hat,
kann getrost den ganzen Morgen
im Bett bleiben.*

AUS DEN NIEDERLANDEN

**Man meint immer, man müsse
alt werden,
um gescheit zu sein.
Im Grunde aber hat man
bei zunehmenden Jahren zu tun,
sich so klug zu erhalten,
als man gewesen ist.**

JOHANN WOLFGANG VON GOETHE

**Was wir voraussehen, trifft selten ein.
Was wir am wenigsten erwarten,
das geschieht meistens.**

BENJAMIN DISRAELI

*Mit einem Menschen, der nur Trümpfe hat,
kann man nicht Karten spielen.*

FRIEDRICH HEBBEL

DIE LÄSTIGSTEN DUMMKÖPFE SIND DIE,
DIE WITZ HABEN.

LA ROCHEFOUCAULD

BESCHEIDENHEIT
BEI MITTELMÄßIGEN FÄHIGKEITEN
IST BLOß EHRLICHKEIT.
BEI GROßEN TALENTEN
IST SIE HEUCHELEI.
ARTHUR SCHOPENHAUER

Jeder dumme Junge kann
einen Käfer zertreten.
Aber alle Professoren der Welt können
keinen herstellen.
ARTHUR SCHOPENHAUER

Wenn der Ruf eines Menschen
erst einmal feststeht,
ist er immer besser oder schlechter,
als er es verdient.
ALEXANDRE RODOLPHE VINET

Oft geschieht im Augenblick,
was nicht im Jahre erhofft wird.
KAISER FERDINAND I.

Arbeit, Sorg und Herzeleid
ist der Erde Alltagskleid.
SPRICHWORT

Ist nicht im Innern Sonnenschein,
von außen kommt er nicht herein.
FRIEDRICH MARTIN VON BODENSTEDT

Die meisten Menschen sind Mörder.
Sie töten einen Menschen.
In sich selbst.
STANISLAW JERZY LEC

Es kann schon schwierig werden,
wenn lauter ehrliche Leute
ganz offen miteinander reden.
GERD BUCERIUS

Die Menschen sind nicht immer,
was sie scheinen.
GOTTHOLD EPHRAIM LESSING

MAN FÄLLT NICHT ÜBER SEINE FEHLER.
MAN FÄLLT IMMER ÜBER SEINE FEINDE,
DIE DIESE FEHLER AUSNUTZEN.
KURT TUCHOLSKY

Ein Charakter
ist ein vollständig gebildeter Wille.
NOVALIS

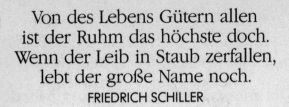

Von des Lebens Gütern allen
ist der Ruhm das höchste doch.
Wenn der Leib in Staub zerfallen,
lebt der große Name noch.
FRIEDRICH SCHILLER

Was man uns auch Gutes
über uns sagen mag:
Man sagt uns nichts Neues.
LA ROCHEFOUCAULD

Wie oft verglimmen
die gewaltigsten Kräfte,
weil kein Wind sie anbläst!
JEREMIAS GOTTHELF

Die einen werden durch
großes Lob schamhaft,
die anderen frech.
FRIEDRICH NIETZSCHE

*Jedes Jubiläum
ist eine Vorfeier des Begräbnisses.*
HEINRICH LEO

*Fast alles Große in der Welt
ist durch das Genie und die Festigkeit
eines einzelnen Mannes bewirkt worden,
der gegen die Vorurteile
der Menge ankämpfte
oder ihr welche beibrachte.*

VOLTAIRE

**Die Feigheit tarnt sich am liebsten
als Vorsicht oder Rücksicht.**

SIGMUND GRAFF

**Mit einem Talent mehr
sieht man oft unsicherer
als mit einem weniger:
Wie der Tisch besser auf drei
als auf vier Füßen steht.**

FRIEDRICH NIETZSCHE

*Wer die Menschen kennenlernen will,
der studiere ihre Entschuldigungsgründe.*

CHRISTIAN FRIEDRICH HEBBEL

Es bildet ein Talent sich in der Stille,
sich ein Charakter in dem Strom der Welt.

JOHANN WOLFGANG VON GOETHE

ES GIBT WENIG MENSCHEN,
DIE NICHT DEN WUNSCH HABEN,
VON ZEIT ZU ZEIT
IHRER VERDIENSTE
VERSICHERT ZU WERDEN.
VAUVENARGUES

Es steht schlimm um einen Menschen,
an dem man nicht einen einzigen
sympathischen Fehler entdecken kann.
BENJAMIN DISRAELI

Ein Mensch kann nicht alles wissen,
aber etwas muß jeder haben,
das er ordentlich versteht.
GUSTAV FREYTAG

Vom höchsten Ordnungssinn
ist nur ein Schritt zur Pedanterie.
CHRISTIAN MORGENSTERN

Im Lobe ist mehr Zudringlichkeit
als im Tadel.
FRIEDRICH NIETZSCHE

**Unsere Müdigkeit
nennen wir Erschöpfung,
die anderer Faulheit.**
CURT GOETZ

*Erkennen heißt:
Alle Dinge zu unserem Besten verstehen.*
FRIEDRICH NIETZSCHE

An der Spitze ist immer Platz.
DANIEL WEBSTER

**Wer aufhört, besser zu werden,
hat aufgehört, gut zu sein.**

PHILIP ROSENTHAL

*Damit ein Ereignis Größe hat,
muß zweierlei dazukommen:
Der große Sinn derer,
die es vollbringen,
und der große Sinn derer,
die es erleben.*

FRIEDRICH NIETZSCHE

MAN KANN ES AUF ZWEIERLEI ART
ZU ETWAS BRINGEN:
DURCH EIGENES KÖNNEN
ODER DURCH DIE DUMMHEIT
DER ANDEREN.

JEAN DE LA BRUYÈRE

Das Geheimnis des Erfolgs?
Sich nie damit zufriedengeben,
daß man zufrieden ist.

RAY CONNIFF

Wenn man ganz bewußt
acht Stunden täglich arbeitet,
kann man es dazu bringen,
Chef zu werden
und vierzehn Stunden
täglich zu arbeiten.

ROBERT LEE FROST

Die Erfolgreichen suchen
sich die Umstände,
die sie brauchen, und wenn sie sie nicht
finden, schaffen sie sich
die Umstände selber.

GEORGE BERNARD SHAW

Die Ruhe tötet.
Nur wer handelt, lebt.

THEODOR KÖRNER

Die größte Angelegenheit
des Menschen ist,
zu wissen, wie er seine Stellung
in der Schöpfung gehörig erfülle.

IMMANUEL KANT

**Der beste Ausweg
ist meistens der Durchbruch.**
ROBERT LEE FROST

Der kluge Mann baut vor.
FRIEDRICH SCHILLER

*Um es in der Welt zu etwas zu bringen,
muß man tun, als habe man
es zu etwas gebracht.*
LA ROCHEFOUCAULD

„ES KOMMT, WIE ES KOMMEN MUß",
IST DIE AUSREDE ALLER FAULPELZE.
WILHELM RAABE

Wenn der liebe Gott das Pferd
in Teamarbeit hätte erschaffen sollen,
wäre ein Esel oder ein Kamel
daraus geworden.
PAUL HAHNEMANN

Wenn du gut sein willst,
so nimm zuerst an, daß du schlecht bist.
EPIKTET

Habe Mut,
dich deines eigenen Verstandes
zu bedienen!
IMMANUEL KANT

Kräftige Charaktere
ruhen sich in Extremen aus.
CHAMFORT

Genie besteht immer darin,
daß einem etwas Selbstverständliches
zum erstenmal einfällt.
HERMANN BAHR

Der echte Charakter
liebt die Entscheidung;
er legt sich fest, und zwar durch die Tat.
MARTIN KESSEL

Es genügt nicht,
gute geistige Anlagen zu besitzen.
Die Hauptsache ist, sie gut anzuwenden.
RENÉ DESCARTES

Nur der Überzeugte überzeugt.
JOSEPH JOUBERT

◆

Für das Können
gibt es nur einen Beweis: das Tun.
MARIE VON EBNER-ESCHENBACH

WER IM LEBEN ERFOLGREICH SEIN WILL,
MUß TÄGLICH FRÜH AUFSTEHEN
UND DAS GANZE JAHR ÜBER BRAUN SEIN.
ARISTOTELES ONASSIS

Überlasse die Entscheidung
nicht der Leidenschaft,
sondern dem Verstande.
EPICHARMOS

Erfolg ist exakter und pünktlicher Gehorsam
gegen das Gebot der Stunde.
LÉON BLUM

Nie entmutigt sein.
Geheimnis meines Erfolges.
ERNEST HEMINGWAY

Man muß eine Schlacht
oft mehr als einmal schlagen,
ehe man sie gewonnen hat.
MARGARET THATCHER

*Wer seine Absicht
nicht für sich behalten kann,
der wird nie etwas Bedeutendes ausführen.*

SAMUEL SMILES

*Die Welt gehört, wie die Frauen,
dem, der sie verführt, genießt
und mit Füßen tritt.*

GIACOMO LEOPARDI

**Fehlschläge sind die Würze,
die dem Erfolg sein Aroma geben.**

TRUMAN CAPOTE

**Nur wenige Menschen sind klug genug,
hilfreichen Tadel
nichtssagendem Lobe vorzuziehen.**

LA ROCHEFOUCAULD

*Sammle dich zu jeglichem Geschäfte,
nie zersplittere deine Kräfte!*

FRIEDRICH VON BODENSTEDT

Der Erfolg zählt.
Mißerfolge werden gezählt.

NIKOLAUS CYBINSKI

EIN WEISER MANN SCHEUT DAS BEREUEN;
ER ÜBERLEGT SEINE HANDLUNGEN
VORHER.

EPICHARMOS

Sich zu Tode zu arbeiten, ist die einzige
gesellschaftlich anerkannte
Form des Selbstmords.

JOHANN FREUDENREICH

Wenn wir keine Fehler hätten,
würden wir nicht
mit so großem Vergnügen
an anderen welche entdecken.

LA ROCHEFOUCAULD

Sein wahres Gesicht zu zeigen,
ist von allen Entblößungen
die unschicklichste.

HANS KRAILSHEIMER

Gegen das Fehlschlagen eines Plans
gibt es keinen besseren Trost,
als auf der Stelle einen neuen zu machen.

JEAN PAUL

Jeder Fehler hat drei Stufen;
auf der ersten
wird er ins Dasein gerufen,
auf der zweiten
will man ihn nicht eingestehen,
auf der dritten macht nichts
ihn ungeschehen.

FRANZ GRILLPARZER

Gesell dich einem Bessern zu,
daß mit ihm deine Kräfte ringen.
Wer selbst nicht weiter ist als du,
der kann dich auch nicht weiterbringen.

FRIEDRICH RÜCKERT

Des Himmels Beistand muß ergriffen werden
und nicht versäumt.

WILLIAM SHAKESPEARE

Du kannst,
denn du sollst.

IMMANUEL KANT

WER NICHT NEUGIERIG IST,
ERFÄHRT NICHTS.

JOHANN WOLFGANG VON GOETHE

Wer Erfolg haben will,
muß die zwischenmenschlichen
Beziehungen verbessern.

WALTER BÖCKMANN

Jedenfalls ist es besser,
ein eckiges Etwas zu sein
als ein rundes Nichts.

FRIEDRICH HEBBEL

Drei Dinge braucht man zu allem:
Kraft, Verstand und Willen.

AUS NORWEGEN

Man nimmt in der Welt jeden,
wofür er sich gibt,
aber er muß sich auch für etwas geben.
Man erträgt die Unbequemen lieber,
als man die Unbedeutenden duldet.

JOHANN WOLFGANG VON GOETHE

*Der Baum des Wissens ist
nicht der des Lebens.*

GEORGE GORDON NOEL LORD BYRON

Aufmerksamkeit, mein Sohn, ist,
was ich dir empfehle;
bei dem, wobei du bist,
zu sein mit ganzer Seele.

FRIEDRICH RÜCKERT

Wer Fehler schminkt,
wird einst mit Spott verlacht.

WILLIAM SHAKESPEARE

Es ist gut, wenn einem viel einfällt
und man es wohlformuliert in die Welt setzt,
aber es ist besser,
einen Gedanken zu haben
und ihn klar durchzusetzen.

KONRAD ADENAUER

Mancher schießt ins Blaue hinein
und trifft das Schwarze.

SPRICHWORT

Um sanft, tolerant, weise
und vernünftig zu sein,
muß man über eine gehörige Portion
Härte verfügen.

PETER USTINOV

„WAS WILL ICH?", FRAGT DER VERSTAND.
„WORAUF KOMMT ES AN?",
FRAGT DIE URTEILSKRAFT.
„WAS KOMMT HERAUS?",
FRAGT DIE VERNUNFT.

IMMANUEL KANT

Achte, willst du glücklich sein,
Ehrenstellen nicht zu klein!
Wer, was hoch ist, gar nicht schätzet,
der wird selten hochgesetzet.

FRIEDRICH VON LOGAU

Der eine wartet, daß die Zeit sich wandelt,
der andre packt sie kräftig an und handelt.

DANTE ALIGHIERI

Von Verdiensten,
die wir zu schätzen wissen,
haben wir den Keim in uns.

JOHANN WOLFGANG VON GOETHE

*Wer seinen Willen durchsetzen will,
muß leise sprechen.*

JEAN GIRAUDOUX

Jeder Mensch gilt in dieser Welt nur soviel,
als er sich selbst geltend macht.

ADOLPH VON KNIGGE

Es ist besser,
unvollkommene Entscheidungen
durchzuführen,
als ständig nach vollkommenen zu
suchen,
die es niemals geben wird.

CHARLES DE GAULLE

Der Weg zum Erfolg wäre kürzer,
wenn es unterwegs nicht so viele
reizvolle Aufenthalte gäbe.

SACHA GUITRY

Wer gar zu viel bedenkt,
wird wenig leisten.

FRIEDRICH SCHILLER

WENN DER MENSCH
SICH ETWAS VORNIMMT,
SO IST IHM MEHR MÖGLICH,
ALS MAN GLAUBT.

JOHANN HEINRICH PESTALOZZI

Bitte nie! Laß dies Gewimmer!
Nimm, ich bitte dich, nimm immer!
FRIEDRICH NIETZSCHE

Als ich ein junger Mann war,
merkte ich, daß von zehn Dingen,
die ich tat, neun fehlschlugen.
Ich wollte kein Versager sein
und arbeitete zehnmal so viel.
GEORGE BERNARD SHAW

Sei wie ein Fels,
an dem sich beständig die Wellen brechen!
Er bleibt stehen, und rings um ihn
legen sich die angeschwollenen Gewässer.
MARK AUREL

Erfolg ist etwas Sein,
etwas Schein und sehr viel Schwein.
PHILIP ROSENTHAL

Man sollte sich im Leben
immer auf das beschränken,
was man kann, und nicht das tun,
was die anderen gern sehen möchten.
Nur dann bleibt man konkurrenzfähig.
KARL SCHLAPPNER

*Die Ungleichheit der Stände
ist aus der Ungleichheit der Begabungen
und des Mutes entstanden.*

VAUVENARGUES

**Handle – und das Geschick
selbst beugt sich!**

RALPH WALDO EMERSON

**Nützen muß man den Augenblick,
der einmal nur sich bietet.**

FRIEDRICH SCHILLER

*Die Menschen haben
viele absonderliche Tugenden erfunden,
aber die absonderlichste von allen
ist die Bescheidenheit.
Das Nichts glaubt, dadurch etwas zu werden,
daß es bekennt: Ich bin nichts.*

CHRISTIAN FRIEDRICH HEBBEL

WENN DU KAUFST,
WAS DU NICHT BRAUCHST,
WIRST DU BALD VERKAUFEN MÜSSEN,
WAS DU BRAUCHST.

BENJAMIN FRANKLIN

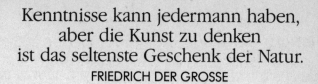

Kenntnisse kann jedermann haben,
aber die Kunst zu denken
ist das seltenste Geschenk der Natur.

FRIEDRICH DER GROSSE

Auch ist die Gelegenheit
ein launisch buhlend Weib,
das nicht zum zweiten Male wiederkehrt,
fand sie beim erstenmal
die Tür verschlossen.

FRANZ GRILLPARZER

Es ist Unsinn, Türen zuzuschlagen,
wenn man sie angelehnt lassen kann.

JAMES WILLIAM FULBRIGHT

Der Unterschied
zwischen Erfolg und Mißerfolg
ist der Unterschied
zwischen Richtigtun und Fast-Richtigtun.

EDWARD SIMMONS

Vor Fehlern ist niemand sicher.
Das Kunststück besteht darin,
denselben Fehler nicht zweimal zu machen.

EDWARD HEATH

Wenn der Mann keinen Erfolg hat,
meint er, er sei kein Mann.
Wenn eine Frau keinen Erfolg hat,
weiß sie immer noch, daß sie eine Frau ist.
IDA EHRE

Wer feig des einen Tages
Glück versäumt,
er holt's nicht ein,
und wenn ihn Blitze trügen.
THEODOR KÖRNER

Erfolg ist so ziemlich das Letzte,
das einem vergeben wird.
TRUMAN CAPOTE

Um Erfolg zu haben,
mußt du den Standpunkt
des anderen einnehmen
und die Dinge
mit seinen Augen betrachten.
HENRY FORD

Am Mute hängt der Erfolg.
THEODOR FONTANE

MAN DARF NICHT DARAUF VERTRAUEN,
DASS EINEM DER ERFOLG TREU BLEIBT.
MAN MUSS SICH SELBER BEMÜHEN,
DASS MAN DEM ERFOLG TREU BLEIBT.

MICHAEL JARY

Wer von niemand beneidet wird,
der ist nichts wert.

EPICHARMOS

Wer Menschen führen will,
muß hinter ihnen gehen.

LAOTSE

Man muß Spaß an der Arbeit haben,
um gute Arbeit zu leisten.

CYRIL NORTHCOTE PARKINSON

Wer gar zu bieder ist,
bleibt zwar ein redlich Mann,
bleibt aber, wo er ist,
kommt selten höher an.

FRIEDRICH VON LOGAU

Zum Werke, das wir ernst bereiten,
geziemt sich wohl ein ernstes Wort.
Wenn gute Reden sie begleiten,
dann fließt die Arbeit munter fort.

FRIEDRICH SCHILLER

**Es ist gefährlich,
einen extrem fleißigen
Büroangestellten einzustellen,
weil die anderen ihm
dann ständig zuschauen.**

HENRY FORD

**Tränen und Schweiß
sind beide naß und salzig,
doch ihre Wirkung ist ganz unterschiedlich.
Mit Tränen verschafft man sich Mitgefühl,
der Schweiß bringt einen voran.**

JESSE JACKSON

**GABEN, WER HÄTTE SIE NICHT,
TALENTE, SPIELZEUG FÜR KINDER!
ERST DER ERNST MACHT DEN MANN,
ERST DER FLEISS DAS GENIE.**

THEODOR FONTANE

Wer gut verdient,
strengt sich nicht an.
Wer sich anstrengt,
verdient nicht gut.

AUS CHINA

Nicht eher an die Ausarbeitung zu gehen,
als bis man mit der ganzen Anlage
zufrieden ist,
das gibt Mut und erleichtert die Arbeit.

GEORG CHRISTOPH LICHTENBERG

Erfolg besteht darin,
daß man genau die Fähigkeiten hat,
die im Moment gefragt sind.

HENRY FORD

Wahre Ruhmbegierde
ist die Quelle aller großen Taten
und alles Nützlichen,
was auf der Welt geschieht.

FRIEDRICH DER GROSSE

*Was ihr nicht tut mit Lust,
gedeiht euch nicht.*

WILLIAM SHAKESPEARE

Risiko ist die Bugwelle des Erfolges.

CARL AMERY

**Jeder Mensch macht Fehler.
Das Kunststück liegt darin,
sie dann zu machen,
wenn keiner zuschaut.**

PETER USTINOV

**Der eigentliche Beweis,
daß wir Talent besitzen,
ist die Fähigkeit, das Talent
in anderen Menschen zu entdecken.**

ELBERT HUBBARD

*Originalität muß man haben,
nicht danach streben.*

FRIEDRICH HEBBEL

LAUSCHE AUF DEN TON DES WASSERS,
UND DU WIRST EINE FORELLE FANGEN.

AUS IRLAND

In einem aufgeräumten Zimmer
ist auch die Seele aufgeräumt.

ERNST VON FEUCHTERSLEBEN

Zuerst müssen wir die Fakten haben,
ehe wir sie verdrehen.

FIORELLO LA GUARDIA

Wahrhaft Großes zu leisten
ist nur dem in sich
ganz gesammelten und abgeschlossenen
Gemüt möglich.

CARL MARIA VON WEBER

Ein sogenanntes Arbeitsessen
ist eine Mahlzeit,
bei der man die Arbeit
gleich mitverspeist,
damit sie nicht mehr stört.

ROGER PEYREFITTE

*Der Eifer der Arbeit
wirkt oft in einer Stunde mehr,
als der mechanische, schläfrige Fleiß
in drei Stunden.*

CHRISTIAN FÜRCHTEGOTT GELLERT

*Erfolg, das ist eine
unberechenbare Mischung
aus Talent, Glück und Arbeit
und oft auch ein Mißverständnis.*

CARL ZUCKMAYER

Lust und Liebe zu einem Ding
machen die schwerste Arbeit gering.

SPRICHWORT

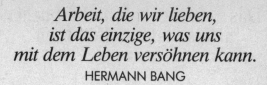

*Arbeit, die wir lieben,
ist das einzige, was uns
mit dem Leben versöhnen kann.*
HERMANN BANG

DIE HEUTIGEN MENSCHEN GLAUBEN,
DASS MAN DIE ARBEIT
SO EINRICHTEN MÜSSE,
DASS SIE MÖGLICHST VIEL
ERTRAG ABWERFE.
DAS IST EIN FALSCHER GLAUBE.
MAN MUSS DIE ARBEIT SO EINRICHTEN,
DASS SIE DIE MENSCHEN BEGLÜCKT.
PAUL ERNST

Arbeit gibt uns mehr
als den Lebensunterhalt,
sie gibt uns das Leben.
HENRY FORD

Gegen persönliche Krisen
schützt man sich am besten
durch einen vollen Terminkalender.
HENRY KISSINGER

Das Leben gab dem Sterblichen
nichts ohne große Arbeit.

HORAZ

Ohne Arbeit kein Genuß,
keine Arbeit ohne Genuß.

AUGUST BEBEL

Arbeit ist die ewige Last,
ohne die alle übrigen Lasten
unerträglich würden.

KLAUS MANN

Die Arbeit hält drei große Übel fern:
die Langeweile, das Laster und die Not.

VOLTAIRE

Es gibt nur eine Möglichkeit,
Arbeit zum Vergnügen werden
zu lassen:
Man muß sie tun.

ERIC WEBSTER

Kleine Geister handeln, große wirken.

KARL HEINRICH WAGGERL

*Für die Mehrheit der Menschen
ist die Arbeit die einzige Zerstreuung,
die sie auf die Dauer aushalten können.*

DENNIS GABOR

GLÜCKLICH, WER SEINEN BERUF
ERKANNT HAT.
ER VERLANGT NACH KEINEM
ANDEREN GLÜCK!

THOMAS CARLYLE

Wer Arbeit kennt und sich nicht drückt,
der ist verrückt.

AUS BERLIN

Keiner weiß, was in ihm steckt,
bevor er von der Macht gekostet hat.

OTTO FLAKE

Fortgesetzte Arbeit wird dadurch leichter,
daß man sich an sie gewöhnt.

DEMOKRIT

Nicht unsere Arbeit macht uns zu dem,
was wir sind, sondern das,
was wir aus unserer Arbeit machen.
WALTER BÖCKMANN

*Der geniale Mensch ist der,
der Augen hat für das,
was ihm vor den Füßen liegt.*
JOHANN JAKOB MOHR

*Es ist viel mehr wert,
jederzeit die Achtung
der Menschen zu haben,
als gelegentlich ihre Bewunderung.*
JEAN-JACQUES ROUSSEAU

**Wenige Menschen denken,
und doch wollen alle entscheiden.**
FRIEDRICH DER GROSSE

Unduldsamkeit und Dummheit sind Vettern.
RIVAROL

DER MANN IST EIN MENSCH,
DER ARBEITET.
ESTHER VILAR

Habe Mut, dich deines eigenen
Verstandes zu bedienen!
IMMANUEL KANT

Wer nur hofft, daß es besser wird,
statt etwas dafür zu tun,
darf sich nicht wundern,
wenn sich die Hoffnungen zerschlagen
und die Befürchtungen bewahrheiten.
JOHANN WOLFGANG VON GOETHE

Fordere viel von dir selbst
und erwarte wenig von anderen!
KONFUZIUS

Zu einem großen Mann gehört beides:
Kleinigkeiten als Kleinigkeiten
und wichtige Dinge als wichtige Dinge
behandeln.
GOTTHOLD EPHRAIM LESSING

*Umändern kann sich niemand,
bessern jeder.*
ERNST VON FEUCHTERSLEBEN

Der Mann muß hinaus
ins feindliche Leben,
muß wirken und streben
und pflanzen und schaffen,
erlisten, erraffen,
muß wetten und wagen,
das Glück zu erjagen.

FRIEDRICH SCHILLER

Selbstvertrauen ist die Quelle
des Vertrauens zu anderen.

LA ROCHEFOUCAULD

Tätigkeit ist der wahre Genuß des Lebens,
ja das Leben selbst.

AUGUST WILHELM SCHLEGEL

Ich will! Das Wort ist mächtig.
Ich soll! Das Wort wiegt schwer.
Das eine spricht der Diener,
das andre spricht der Herr.
Laß beide eins dir werden
im Herzen ohne Groll!
Es gibt kein Glück auf Erden
als wollen, was man soll.

FRIEDRICH HALM

ACHTUNG VERDIENT, WER ERFÜLLT,
WAS ER VERMAG.

SOPHOKLES

Habe ich eine gute Tat vollbracht,
so soll sie mein Denkmal sein,
und wenn nicht,
so helfen alle Bildsäulen nichts.

PLUTARCH

Ein braves Pferd stirbt in den Sielen.

OTTO VON BISMARCK

Ein Beruf ist das Rückgrat des Lebens.

FRIEDRICH NIETZSCHE

Seine Pflicht erkennen und tun,
das ist die Hauptsache.

FRIEDRICH II. VON PREUSSEN, DER GROSSE

*Männer von hoher Bedeutung
können überhaupt nie ersetzt werden,
denn die Bedingungen
müßten sich wiederholen,
aus denen ihre individuelle Stellung
erwachsen ist.*

LEOPOLD VON RANKE

◆

Die Einkünfte geben die Ehren.
OVID

Viel Geld erwerben ist eine Tapferkeit;
Geld bewahren, erfordert
eine gewisse Weisheit,
und Geld schön ausgeben ist eine Kunst.
BERTHOLD AUERBACH

BEREIT SEIN IST ALLES.
WILLIAM SHAKESPEARE

Bei den meisten Erfolgsmenschen
ist der Erfolg größer als die Menschlichkeit.
DAPHNE DU MAURIER

Nicht jeder große Mann
ist ein großer Mensch.
MARIE VON EBNER-ESCHENBACH

Wollt ihr reich werden,
so lernt nicht allein erwerben,
sondern auch wirtschaften.
Schränkt euren törichten Aufwand ein.
BENJAMIN FRANKLIN

Das ist das Schöne an einem Fehler:
Man muß ihn nicht zweimal tun.

THOMAS ALVA EDISON

Man sage nicht,
das Schwerste sei die Tat,
das Schwerste dieser Welt ist der Entschluß.

FRANZ GRILLPARZER

Arbeit um der Arbeit willen
ist gegen die Natur.

JOHN LOCKE

Nicht was der Mensch ist,
nur was er tut,
ist sein unverlierbares Eigentum.

FRIEDRICH HEBBEL

Arbeit, edle Himmelsgabe,
zu der Menschen Heil erkoren!
Nie bleibt ohne Trost und Labe,
wer sich deinem Dienst geschworen.

FRIEDRICH VON BODENSTEDT

*Der Weg zur Ruhe
geht durch das Gebiet
der allumfassenden Tätigkeit.*
NOVALIS

ALLE BERUFE SIND
VERSCHWÖRUNGEN GEGEN DIE LAIEN.
GEORGE BERNARD SHAW

Holzhacken ist deswegen so beliebt,
weil man bei dieser Tätigkeit
den Erfolg sofort sieht.
ALBERT EINSTEIN

Ein jeglicher versucht sein Glück,
doch schmal ist nur die Bahn zum Rennen.
FRIEDRICH SCHILLER

Arbeit ist die zuverlässigste
Seligkeit dieser Erde.
ERNST WICHERT

Nur in der Arbeit wohnt der Frieden,
und in der Mühe wohnt die Ruh!
THEODOR FONTANE

*Ohne Begeisterung,
welche die Seele mit einer
großen, gesunden Wärme erfüllt,
wird nie etwas Großes zustande
gebracht werden.*

ADOLPH VON KNIGGE

**Die Bescheidenheit
ist nichts anderes als Faulheit,
Mattigkeit und Mangel an Mut,
so daß man mit Recht sagen kann,
daß die Bescheidenheit für die Seele
eine Erniedrigung ist.**

LA ROCHEFOUCAULD

**Die Tantiemen rollen und rollen.
Das ist eine gute Eigenschaft des Erfolgs,
auch wenn man ihn manchmal nicht verdient hat.**

ERNEST HEMINGWAY

*Wer sich auf seinen Lorbeeren ausruht,
trägt sie an der falschen Stelle.*

MAO TSE-TUNG

DER KERL, DER DIE ARBEET
ERFUNDEN HAT,
DER MUß NISCHT ZU TUN JEHABT HABEN.
AUS BERLIN

Noch alle Ehrgeizigen,
die ich selbstsicher habe
ihre Laufbahn beginnen sehen,
habe ich auch ans Ziel kommen sehen,
meist sogar schneller
als ich es geglaubt hatte.
ALAIN

Nie ist das menschliche Gemüt
heiterer gestimmt,
als wenn es seine richtige Arbeit
gefunden hat.
WILHELM VON HUMBOLDT

Wer zum Glück der Welt
beitragen möchte,
der sorge zunächst einmal für eine
glückliche Atmosphäre
in seinem eigenen Haus.
ALBERT SCHWEITZER

Doch der den Augenblick ergreift,
der ist der rechte Mann.
JOHANN WOLFGANG VON GOETHE

Arbeit ist des Blutes Balsam,
Arbeit ist der Tugend Quell.
JOHANN GOTTFRIED HERDER

Der Fleißige hat immer Zeit.
ALFRED HERRHAUSEN

Nur in der Bewegung,
so schmerzlich sie sei, ist Leben.
JACOB BURCKHARDT

Nichts ist drinnen, nichts ist draußen;
denn, was innen, das ist außen.
JOHANN WOLFGANG VON GOETHE

Ein guter Kopf weiß alles zu benutzen.
WILLIAM SHAKESPEARE

DIE ARBEIT, DIE UNS FREUT,
WIRD ZUM ERGÖTZEN.
WILLIAM SHAKESPEARE

Wie groß auch das Verdienst sein mag,
sich um hohe Posten nicht zu kümmern,
ein größeres liegt vielleicht darin,
sie gut auszufüllen.

VAUVENARGUES

Man hat aus der Bescheidenheit
eine Tugend gemacht,
um den Ehrgeiz großer Männer
einzuschränken und um die
Mittelmäßigen über ihr geringes Glück
und ihr geringes Verdienst zu trösten.

LA ROCHEFOUCAULD

Gedenkst du jemals mit Anstand
zu befehlen,
so mußt du mit Eifer dienen.

CHESTERFIELD

Nicht das Amt ehrt den Mann,
sondern der Mann ehrt das Amt.

TALMUD

Arbeit adelt.

SPRICHWORT

*Glückliche Menschen gehen
in ihrer Arbeit auf,
aber niemals unter.*

RUDOLF SCHEID

**Arbeit ist die Kur,
bei der man sich
von der Erholung erholt.**

GEORG THOMALLA

*Das Leben gab den Sterblichen nichts
ohne große Arbeit.*

HORAZ

ARBEIT IST DER FLUCH
DER TRINKENDEN KLASSEN.

OSCAR WILDE

Wer schaffen will, muß fröhlich sein.

THEODOR FONTANE

Ein Chef ist ein Mensch, der anderer bedarf.

PAUL VALÉRY

Wer nicht auf das Kleine schaut,
scheitert am Großen.

LAOTSE

Mir ist wenig am Lob der Leute gelegen.
Ihr Neid wäre allenfalls das einzige,
was mich noch freuen würde.

GEORG CHRISTOPH LICHTENBERG

Der größte Meister ist der,
der in die Summe seiner Werke
die größte Anzahl
der größten Ideen einverleibt hat.

JOHN RUSKIN

Arbeit ist ein Rauschgift,
das wie ein Medikament aussieht.

TENNESSEE WILLIAMS

In allen Augenblicken,
wo wir unser Bestes tun,
arbeiten wir nicht.
Arbeit ist nur ein Mittel
zu diesen Augenblicken.

FRIEDRICH NIETZSCHE

Das Wissen um den richtigen Zeitpunkt
ist der halbe Erfolg.

MAURICE COUVE DE MURVILLE

Seit es Menschen gibt,
ist der Wetteifer der Ansporn
zu fast allem wichtigen
und bedeutenden Tun gewesen.
BERTRAND RUSSELL

AUF DIE ARBEIT
SCHIMPFT MAN NUR SO LANGE,
BIS MAN KEINE MEHR HAT.
SINCLAIR LEWIS

Du sollst den Tag
nicht vor dem Abend loben.
SPRICHWORT

Ich halte nichts vom Recht auf Arbeit;
ich halte es lieber
für das größte Recht des Menschen,
nichts zu tun.
GIOACCHINO ROSSINI

Erfolg ist eine Strafe:
Man muß sich mit Leuten abgeben,
die man vorher meiden konnte.
NORMAN MAILER

Der Lohn eines Amtes ist das Amt selbst.
LUCIUS ANNAEUS SENECA

Wirklich, er war unentbehrlich!
Überall, wo was geschah
zu dem Wohle der Gemeinde,
er war tätig, er war da.
Schützenfest, Kasinobälle,
Pferderennen, Preisgericht,
Liedertafel, Spritzenprobe,
ohne ihn, da ging es nicht.
Ohne ihn war nichts zu machen,
keine Stunde hatt' er frei.
Gestern, als sie ihn begruben,
war er richtig auch dabei.
WILHELM BUSCH

Je vornehmer einer ist,
desto höflicher behandelt er den Niedrigen.
LUDWIG BÖRNE

Bewunderung ist eine kitzelnde Speise.
Aber nichts in der Welt sättigt so leicht.
JOHANN ANTON LEISEWITZ

JEDER AUßERORDENTLICHE
VORZUG ISOLIERT.
CARL HILTY

Starke Menschen bleiben ihrer Natur treu,
mag das Schicksal sie auch in
schlechte Lebenslagen bringen.
Ihr Charakter bleibt fest,
und ihr Sinn wird niemals schwankend.
Über solche Menschen
kann das Schicksal
keine Gewalt bekommen.

NICCOLÒ MACHIAVELLI

Wie das Gestirn,
ohne Hast,
aber ohne Rast,
drehe sich jeder
um die eigne Last.

JOHANN WOLFGANG VON GOETHE

Das meiste haben wir gewöhnlich
in der Zeit getan,
in der wir meinten, zu wenig zu tun.

MARIE VON EBNER-ESCHENBACH

Erbitte Gottes Segen für deine Arbeit,
aber verlange nicht auch noch,
daß er sie tue!

KARL-HEINRICH WAGGERL

M. Uellenberg „Blätter" (Reaktion „Reifen")

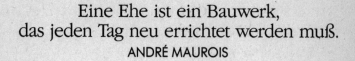

Eine Ehe ist ein Bauwerk,
das jeden Tag neu errichtet werden muß.

ANDRÉ MAUROIS

Ob zwei Leute gut getan haben,
einander zu heiraten,
kann man bei ihrer Silbernen Hochzeit
noch nicht wissen.

MARIE VON EBNER-ESCHENBACH

Ein Leib sind Mann und Weib!
Kein Sprichwort ist so wahr.
Bewiesen wird es uns
durch manches Ehepaar;
denn er ist sie, und sie ist er,
er ist das Weib und sie der Herr.

IGANZ FRANZ CASTELLI

*Jahre, neben einem Menschen verbracht,
kann man nicht wegwerfen.*

WALTHER VON HOLLANDER

FÜR DAS ALTER
ODER DIE SPÄTEREN JAHRE,
WO MAN ALLEIN STEHT,
IST DIE EHE NÖTIG UND ERWÜNSCHT.
DIE JUGEND FINDET
ÜBERALL IHRE FREUDEN.

MADAME DE STAËL

Es gibt Eheleute,
die ihr Glück auswärts suchen,
und in ihrem Haus liegt es
aufgebahrt, scheintot.
Auferstehen würde es durch den Ruf
eines einzigen liebevollen Wortes,
aber dieses Wort wird nicht gesprochen.

PETER ROSEGGER

Warum suchen wir
das Vergnügen bei anderen Frauen?
Weil die eigene nicht die Kunst versteht,
sich zu erneuern.

PIERRE AUGUSTIN CARON DE BEAUMARCHAIS

Die gute Ehe ist ein ew'ger Brautstand.

THEODOR KÖRNER

Viele Ehen brauchen die Untreue,
damit sie Bestand haben.

ALEXANDER COMFORT

*An den Sünden der Frau
ist der Mann nicht unschuldig.*

AUS ITALIEN

Ehe ist, wenn man trotzdem liebt.
SIGISMUND VON RADECKI

**Eine Frau soll aussehen
wie ein junges Mädchen,
auftreten wie eine Lady,
denken wie ein Mann
und arbeiten wie ein Pferd.**
CAROLINE K. SIMON

**Es ist kein Kompliment
für eine ungetreue Frau,
wenn der Gatte glücklicher aussieht
als der Liebhaber.**
CHAMFORT

*Ich sage seit jeher:
Willst du eine Rede hören,
dann wende dich an einen Mann.
Willst du Taten sehen,
dann geh zu einer Frau.*
MARGARET THATCHER.

ES GIBT MEHR NAIVE MÄNNER
ALS NAIVE FRAUEN.
MARIE VON EBNER-ESCHENBACH

TROTZ ALLEM MÖCHTE ICH DIE MÄNNER,
MIT DENEN ICH VERHEIRATET WAR,
WIEDER HEIRATEN.
ABER NICHT IN DER GLEICHEN
REIHENFOLGE.

MAE WEST

Hört auf der klugen Frauen Urteil;
denn ihnen schenkten die Götter die Gabe,
mancherlei zu schauen,
was unserem Auge entgeht.
Sind unsere Blicke auch klarer,
so sind sie in die Weite gerichtet;
ihre Blicke aber sind schärfer für das,
was im Umkreis geschieht.

HORAZ

Der Mann traf seine Frau im Ehebruch.
„Freund", rief sie ihm entgegen,
„ich wollte mich bloß überzeugen,
daß du in allen Dingen einzig bist."

CHRISTIAN FRIEDRICH HEBBEL

Manche Ehe ist ein
Zellengefängnis der Sorge.

PETER HILLE

Im Ehestand muß man sich
manchmal streiten,
denn dadurch erfährt man
was voneinander.
JOHANN WOLFGANG VON GOETHE

Die meisten Differenzen
in der Ehe beginnen damit,
daß eine Frau zuviel redet
und ein Mann zu wenig zuhört.
CURT GOETZ

Manche Ehe ist ein Todesurteil,
das jahrelang vollstreckt wird.
AUGUST STRINDBERG

Manche Ehen gehen an der
beiderseitigen Unfähigkeit zugrunde,
sich auszusprechen.
Sie schweigen sich tot.
SIGMUND GRAFF

Nur Frauen beherrschen die Kunst,
sich so zu verstellen, wie sie wirklich sind.
TRISTAN BERNARD

MÄNNER REGIEREN DIE WELT,
FRAUEN REGIEREN DIE MÄNNER.

AUS SPANIEN

Nicht der Mangel der Liebe,
sondern der Mangel der Freundschaft
macht die unglücklichen Ehen.

FRIEDRICH NIETZSCHE

Wenn die Ehegatten
nicht beisammen lebten,
würden die guten Ehen häufiger sein.

FRIEDRICH NIETZSCHE

Nur Frauen und Ärzte wissen,
wie gern sich die Männer belügen lassen.

ANATOLE FRANCE

*Lautstärke bei Gesprächen unter Eheleuten
ist immer noch besser
als die unterkühlte Geräuschlosigkeit
tödlicher Langeweile.*

NOEL COWARD

**Nichts kommt einem Mann
so teuer zu stehen wie die Opfer,
die eine Frau für ihn bringt.**

JULES ROMAINS

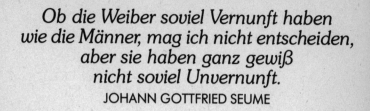

*Ob die Weiber soviel Vernunft haben
wie die Männer, mag ich nicht entscheiden,
aber sie haben ganz gewiß
nicht soviel Unvernunft.*

JOHANN GOTTFRIED SEUME

**Mit den Ehen ist es
wie mit den Vogelbauern:
Die Vögel, die nicht darin sind,
wollen mit aller Gewalt hinein, und die,
welche darin sind, wieder hinaus.**

MONTAIGNE

*Es ist eine gar leidige Sache
in der Ehe, wenn jeder sich hinsetzt,
erwartungsvoll, daß ihn der andere
nun glücklich machen soll.
Es kann auf diese Weise
leicht dahin kommen,
daß beide allein und unbeglückt
sitzenbleiben.*

OTTILIE WILDERMUTH

WIE SCHLECHT AUCH EIN MANN
ÜBER DIE FRAUEN DENKEN MAG:
ES GIBT KEINE FRAU, DIE DARIN
NICHT NOCH UM EINIGES WEITER
GINGE ALS ER.

CHAMFORT

Kleine Streitigkeiten würzen,
große Streitereien versalzen die Ehesuppe.

STEPHAN LACKNER

Eine Frau muß schweigen können.
Eine Ehe ohne Schweigen
ist wie ein Auto ohne Bremsen.

CHARLES AZNAVOUR

Es ist besser,
der Mann bleibt blind und glücklich,
als daß man ihm die Augen öffnet.

ESTHER VILAR

Frauen erreichen alles,
weil sie jene beherrschen,
die alles beherrschen.

AUS FRANKREICH

*Für die Philosophen sind die Frauen
der Triumph des Stoffes über den Geist,
genau wie die Männer der Triumph
des Geistes über die Moral sind.*

OSCAR WILDE

*Frauen unterwerfen sich willig der Mode,
denn sie wissen,
daß die Verpackung wechseln muß,
wenn der Inhalt interessant bleiben soll.*

NOEL COWARD

**Es ist das Geheimnis einer guten Ehe,
daß einer Serienaufführung
immer wieder Premierenstimmung
gegeben wird.**

MAX OPHÜLS

*Die Ehe ist für die
durchschnittlichen Menschen ausgedacht,
welche weder der großen Liebe
noch der großen Freundschaft fähig sind,
für die meisten also:
aber auch für jene ganz seltenen,
welche sowohl der Liebe
als der Freundschaft fähig sind.*

FRIEDRICH NIETZSCHE

**DAS WEIB IST MIT SEINEM MANN,
DER MANN ABER MIT SEINEM GESCHÄFT
VERHEIRATET.**

AUS INDIEN

Das Drama einer Ehe,
das ist nicht die ganz große Erschütterung
– das sind die vielen kleinen Irritationen,
die sich summieren.

LIV ULLMANN

Der Mann ist geschaffen,
über die Natur zu gebieten,
das Weib aber, den Mann zu regieren.
Zum ersten gehört viel Kraft,
zum anderen viel Geschicklichkeit.

IMMANUEL KANT

Falten machen einen Mann männlicher,
eine Frau älter.

JEANNE MOREAU

Nur die ganz Stumpfsinnigen
sind schon beim Frühstück geistreich.

OSCAR WILDE

*Die Eheherren sollten
künftig die Trauringe
statt auf dem Finger
in der Nase tragen,
zum Zeichen, daß sie doch
an der Nase geführt werden.*

CHRISTIAN DIETRICH GRABBE

*Was gewisse Ehen so kompliziert,
ist, daß eine Frau heimlich ihren Mann
doch liebt.*

ERNST VON FEUCHTERSLEBEN

**Wandelbarkeit
ist die große Tugend der Frau.
Wer ein echtes Weib hat,
braucht keinen Harem.**

GILBERT KEITH CHESTERTON

**Die Ehe soll unablässig
ein Ungeheuer bekämpfen,
das alles verschlingen will: die Gewohnheit.**

HONORÉ DE BALZAC

*Die Ehe ist die
einzige wirkliche Leibeigenschaft,
die unser Gesetz kennt.
Es gibt keine Sklaven mehr,
außer den Herrinnen jedes Hauses.*
JOHN STUART MILL

ES IST AUSGEMACHT,
DASS GOTT DIE FRAUEN
NUR ERSCHAFFEN HAT,
UM DIE MÄNNER ZU ZÄHMEN.
VOLTAIRE

Wer unglücklich verheiratet ist,
hat bereits einen Vorschuß
auf die Hölle empfangen.
AUS SCHWEDEN

Als die Natur das Menschengeschlecht
in zwei Hälften spaltete,
hat sie den Schnitt
nicht gerade durch die Mitte geführt.
ARTHUR SCHOPENHAUER

Betrachte alles von der guten Seite!
THOMAS JEFFERSON

Eine Ehe ist ein Bauwerk,
das jeden Tag neu errichtet werden muß.

ANDRÉ MAUROIS

*Vielleicht wäre die Scheidungsquote
geringer,
wenn die Menschen die Ehe
weniger als Zustand
denn als Aufgabe begriffen.*

ERNST ALBRECHT

**Ehen werden im Himmel geschlossen,
deshalb fällt man so tief.**

AUGUST STRINDBERG

**Soweit die Erde Himmel sein kann,
soweit ist sie es in einer glücklichen Ehe.**

MARIE VON EBNER-ESCHENBACH

*Daheim werden verständige Männer
am wenigsten geschätzt.*

AUS ISLAND

Die Ehe ist genau soviel wert wie die,
welche sie schließen.

FRIEDRICH NIETZSCHE

FAST IMMER WERDEN DIE MODEN
VON DEN HÄSSLICHEN FRAUENZIMMERN
AUFGEBRACHT,
UND DIE HÜBSCHEN SIND TÖRICHT GENUG,
SICH UNTERZUORDNEN.
JEAN-JACQUES ROUSSEAU

Es ist, als ob das Weib
der dunkle Grund wäre,
auf dem im Vordergrunde
der helle Mann hin- und hergeht,
aber vom dunklen Grunde gehoben und
getragen.
JEREMIAS GOTTHELF

Schlimmer als die Einöde ist die Zweiöde.
JEAN WOLLSCHLÄGER

Die Liebe erscheint als das schnellste,
ist jedoch das langsamste aller Gewächse.
Weder Mann noch Frau wissen,
was vollkommene Liebe ist, ehe sie nicht
ein Vierteljahrhundert verheiratet waren.
MARK TWAIN

Gewohnheiten stören, heißt alles stören.
WILLIAM SHAKESPEARE

Lieben uns die Frauen,
so verzeihen sie uns alles,
selbst unsere Vergehen.
Lieben sie uns nicht,
so verzeihen sie uns nichts,
selbst unsere Tugenden nicht.
HONORÉ DE BALZAC

Der Zank in der Ehe ist die Schneedecke,
unter der sich die Liebe warm hält.
JEAN PAUL

Viele, von denen man glaubt,
sie seien gestorben,
sind bloß verheiratet.
FRANÇOISE SAGAN

Es gibt Männer, welche die Beredsamkeit
weiblicher Zungen übertreffen,
aber kein Mann besitzt
die Beredsamkeit weiblicher Augen.
KARL JULIUS WEBER

EINE FRAU, DIE NICHT RÄTSELHAFT IST,
IST KEINE.
THEODOR FONTANE

Ein Mann, der seine Frau liebt,
achtet nicht auf ihr Kleid,
sondern auf seine Frau.
Fängt er an, auf die Kleidung zu achten,
hat seine Liebe schon nachgelassen.

HENRY MILLER

SOBALD EINE FRAU
AUS EINEM MANN EINEN ESEL MACHT,
REDET SIE IHM EIN, ER SEI EIN LÖWE.

HONORÉ DE BALZAC

Am Ehebruch scheitern weniger Ehen
als an Szenen und zugeschlagenen Türen,
an der Hemdsärmligkeit des Mannes
und den ungepflegten Haaren der Frau.

OSWALD BUMKE

Die Ehe ist und bleibt
die wichtigste Entdeckungsreise,
die der Mensch unternehmen kann.

SÖREN KIERKEGAARD

Eine Frau, die nicht rätselhaft ist,
ist keine.

THEODOR FONTANE

Sollen endlich alle Möglichkeiten
der Ehe ausgeschöpft werden,
dann müssen Mann und Frau
begreifen lernen,
daß beide in ihrem persönlichen Leben
frei sein müssen,
wie auch das Gesetz sich dazu stellen möge.

BERTRAND RUSSELL

Mancher Mann verdankt seinen Erfolg
einer Frau, die ihm ständig
zur Seite gestanden hat.
Noch mehr Männer verdanken
ihn aber einer Frau,
die sie ständig in die Seite getreten hat.

HARRIET BOWLES

Bescheidenheit ist eine Eigenschaft,
die die Frauen an einem Liebhaber
mehr loben als lieben.

RICHARD BRINSLEY SHERIDAN

Die Frau hat mehr Geist,
der Mann mehr Genie.
Die Frau beobachtet,
der Mann schließt.

JEAN-JACQUES ROUSSEAU

Hinter einer langen Ehe
steh immer eine sehr kluge Frau.
EPHRAIM KISHON

Willst du ein braves Weib,
so sei ein rechter Mann.
JOHANN WOLFGANG VON GOETHE

Ich wünsche,
daß sich alle Frauen meines Reiches
hübsch machen,
damit es ihre Männer leichter haben,
treu zu bleiben.
LOUIS IX. VON FRANKREICH, DER HEILIGE

*Es gibt zwei Perioden,
in denen ein Mann seine Frau
nicht versteht:
vor der Hochzeit
und nach der Hochzeit.*
ROBERT LEMBKE

*Manche Ehen sind ein Zustand,
in dem zwei Leute es weder
mit noch ohne einander
durch längere Zeit aushalten können.*
MARIE VON EBNER-ESCHENBACH

**Die meisten sittsamen Frauen
sind verborgene Schätze,
die nur in Sicherheit sind,
weil man nicht nach ihnen sucht.**

LA ROCHEFOUCAULD

**Ein Ehemann
darf nie zuerst einschlafen
und zuletzt aufwachen.**

HONORÉ DE BALZAC

Warum ist es in der Ehe so,
daß am Abend immer zwei müde,
ja manchmal erschöpfte Menschen
zusammenkommen, und,
daß sie am nächsten Morgen
auseinandergehen,
ausgeruht und frisch,
um mit anderen ausgeruhten
und frischen Menschen
zusammenzutreffen?
Alle haben was davon,
nur nicht die Ehepartner.

OTHMAR FRANZ LANG

Es ist schlimm,
wenn zwei Eheleute einander langweilen.
Viel schlimmer jedoch ist es,
wenn nur einer von ihnen
den anderen langweilt.
MARIE VON EBNER-ESCHENBACH

„WENN MEIN HERZ NICHT SPRICHT,
DANN SCHWEIGT AUCH MEIN VERSTAND",
SAGT DIE FRAU.
„SCHWEIGE, HERZ,
DAMIT DER VERSTAND
ZU WORTE KOMMT",
SAGT DER MANN.
MARIE VON EBNER-ESCHENBACH

Ich habe nie verstanden,
warum Frauen an talentierten Männern
zunächst deren Fehler
und an Narren deren Verdienste sehen.
PABLO PICASSO

Es sind nicht die schlechtesten Ehen,
wenn ein Blitz
mit einem Blitzableiter verheiratet ist.
TILLA DURIEUX

Die Frauen sind ein liebliches Geheimnis:
Nur verhüllt, nicht verschlossen.

NOVALIS

Männer, die behaupten,
sie seien die uneingeschränkten
Herren im Haus,
lügen auch bei anderer Gelegenheit.

MARK TWAIN

*Wer nie in Banden war,
weiß nichts von Freiheit.*

JAKOB BOSSHART

*Es ist ein Irrtum zu glauben,
daß Frauen, die sich
im Hintergrund halten,
auch in der Ehe nur immer
die zweite Geige spielen.*

MARGIE JÜRGENS

**Ach die Gewohnheit ist
ein lästig Ding! Selbst an Verhaßtes
fesselt sie.**

FRANZ GRILLPARZER

*Eheleute, die sich lieben,
sagen sich tausend Dinge, ohne zu sprechen.*

AUS CHINA

WENN MANN UND FRAU
AUCH AUF DEM GLEICHEN KISSEN
SCHLAFEN,
SO HABEN SIE DOCH
UNTERSCHIEDLICHE TRÄUME.

AUS DER MONGOLEI

Die eigentliche Grundlage der Ehe
ist tiefes Einander-Mißverstehen.

OSCAR WILDE

Man kann anderen Leuten erklären,
warum man seinen Mann geheiratet hat,
aber sich selbst
kann man das nicht erklären.

GEORGE SAND

Ich bin stolz auf die Falten.
Sie sind das Leben in meinem Gesicht.

BRIGITTE BARDOT

Gewohnheiten sind zuerst Spinnweben,
dann Drähte.

AUS SPANIEN

*Es wäre wenig sinnvoll,
die Strafen für Bigamie zu verschärfen.
Ein Bigamist hat zwei Schwiegermütter,
das ist Strafe genug.*

WINSTON CHURCHILL

*Für Männer gelten die Gesetze
der Optik nicht:
Wenn man sie unter die Lupe nimmt,
werden sie plötzlich ganz klein.*

GRETHE WEISER

**Man fordere nicht Wahrhaftigkeit
von den Frauen,
solange man sie in dem Glauben erzieht,
ihr vornehmster Lebenszweck
sei zu gefallen.**

MARIE VON EBNER-ESCHENBACH

Jeder Mann ist der Sohn einer Frau.
AUS RUSSLAND

Bei Weibern weiß man niemals,
wo der Engel aufhört und der Teufel anfängt.
HEINRICH HEINE

EIN MANN SCHMÜCKT SICH NICHT FÜR,
SONDERN DURCH DIE FRAU.
SIGMUND GRAFF

Richtig verheiratet ist ein Mann erst,
wenn er jedes Wort versteht,
das seine Frau nicht gesagt hat.
ALFRED HITCHCOCK

Soll die Ehe lang bestahn,
sei blind das Weib und taub der Mann.
SPRICHWORT

Den Weg von einer glücklichen Ehe
zu einer guten schafft
nur eine große Liebe.
NIKOLAUS CYBINSKI

Heutzutage gilt ein Mann
schon als Gentleman,
wenn er die Zigarette
aus dem Mund nimmt,
bevor er eine Frau küßt.

BARBRA STREISAND

Die Ehe ist ein Hafen im Sturm,
öfters aber ein Sturm im Hafen.

JEAN-ANTOINE PETIT-SENN

Alle gemeinsamen Freuden
in einer Ehe machen sie fester,
alle einsamen lockern sie.

SIGMUND GRAFF

Wenn zwei Menschen
immer wieder
die gleichen Ansichten haben,
ist einer von ihnen überflüssig.

WINSTON CHURCHILL

Charme ist, was manche Leute haben,
bis sie beginnen, sich darauf zu verlassen.

SIMONE DE BEAUVOIR

*Wenn deine Frau dir schmeichelt,
hat sie was Übles im Sinn.*
AUS RUSSLAND

GEGEN GROßE VORZÜGE EINES ANDEREN
GIBT ES KEIN RETTUNGSMITTEL
ALS DIE LIEBE.
JOHANN WOLFGANG VON GOETHE

Kannst du kein Stern am Himmel sein,
so sei eine Lampe im Haus.
AUS ARABIEN

In wohleingerichteten Reichen
und Republiken sollten die Ehen
auf Zeit geschlossen
und alle drei Jahre aufgelöst
oder neu bestätigt werden
wie jeder andere Pachtvertrag,
statt für das ganze Leben in Kraft zu bleiben,
zur ewigen Marter für beide Teile.
MIGUEL DE CERVANTES SAAVEDRA

Jedes Weibes Fehler
ist des Mannes Schuld.
JOHANN GOTTFRIED HERDER

Häuslichkeit, du schöner Abendstern!
Du flimmerst nicht eher,
als die brennende Jugendsonne
im Meere der Leidenschaften verlöschte.
Dann scheinst du lieblich in jede Hütte,
wo zwei gute Menschen wohnen.

AUGUST VON KOTZEBUE

Eine Frau oder Geliebte
lernt man in einer Stunde
mit einer dritten Person
besser kennen als mit sich in zwanzig.

JEAN PAUL

Die Katze läßt das Mausen nicht.

SPRICHWORT

Vernunftehen scheitern nur dann,
wenn plötzlich ein Partner sein Herz entdeckt.

KARL PELTZER

Den seelischen Wert einer Frau
erkennst du daran, wie sie zu altern versteht.

CHRISTIAN MORGENSTERN

Wo wäre die Macht der Frauen, wenn die Eitelkeit der Männer nicht wäre?

MARIE VON EBNER-ESCHENBACH

Das große Geheimnis jeder guten Ehe ist,
jeden Unglücksfall als Zwischenfall
und keinen Zwischenfall
als Unglücksfall zu behandeln.

HAROLD NICOLSON

Eine gute Ehe wäre jene
zwischen einer blinden Frau
und einem tauben Mann.

MONTAIGNE

Heute ist eine Ehe schon glücklich,
wenn man dreimal
die Scheidung verschiebt.

DANNY KAYE

Durch Weisheit wird ein Haus gebaut,
die Zwietracht reißt es nieder.

SPRICHWORT

In einer guten Ehe
ist wohl das Haupt der Mann,
jedoch das Herz das Weib,
das er nicht missen kann.

FRIEDRICH RÜCKERT

Der kluge Ehemann kauft seiner Frau
nur das teuerste Porzellan,
weil er dann sicher sein darf,
daß sie es nicht nach ihm wirft.

GINO LOCATELLI

In der Ehe ist es nicht so wichtig,
den richtigen Partner zu finden,
wie der richtige Partner zu sein.

GRIECHISCHES SPRICHWORT

Die Fesseln der Gewohnheit sind zu leicht,
als daß man sie spürte, bevor sie zu fest sind,
um sie noch abzuschütteln.

SAMUEL JOHNSON

Alle unsere endgültigen Entschlüsse
werden in einem
sehr vergänglichen Gemütszustand gefaßt.

MARCEL PROUST

*Die Gleichberechtigung
ist eine gefährliche Sache.
Vielleicht fällt es
den Männern jetzt ein,
alle drei Tage
zum Friseur zu gehen
und jeden Monat
einen neuen Anzug
haben zu wollen
und sofort eine Szene zu machen,
wenn sie das nicht bekommen.*

CYNTHIA WELLS

ALS EINE FRAU LESEN LERNTE,
TRAT DIE FRAUENFRAGE IN DIE WELT.

MARIE VON EBNER-ESCHENBACH

In der Ehe geht, wie auch sonst,
Zufriedenheit über Reichtum.

MOLIÈRE

Es sind nicht alle Männer,
die Hosen tragen.

AUS SCHWEDEN